D1538134

– Pour Loïc que Bali accompagne au fil des histoires.
M.

– Pour Malo et sa petite sœur, Manon.
L. R.

Bali

Léa

Maman

Papa

© Flammarion, 2013
Éditions Flammarion – 87, quai Panhard-et-Levassor – 75647 Paris Cedex 13
www.editions.flammarion.com
ISBN : 978-2-0812-8538-5 – N° d'édition : L.01EJDN000891.N001
Dépôt légal : avril 2013
Imprimé en Espagne par Edelvives – 03/2013
Loi n° 49-956 du 16 juillet 1949 sur les publications destinées à la jeunesse
TM Bali est une marque déposée de Flammarion

Magdalena

Laurent Richard

s'occupe de sa petite sœur

Père Castor ■ Flammarion

Ce matin, Papa et Maman sont très occupés
à repeindre la cuisine.
Encore en pyjama, Léa vient chercher Maman
en la tirant par la manche.

Maman appelle Bali :
– Bali, mon chéri, peux-tu t'occuper de Léa,
s'il te plaît ?

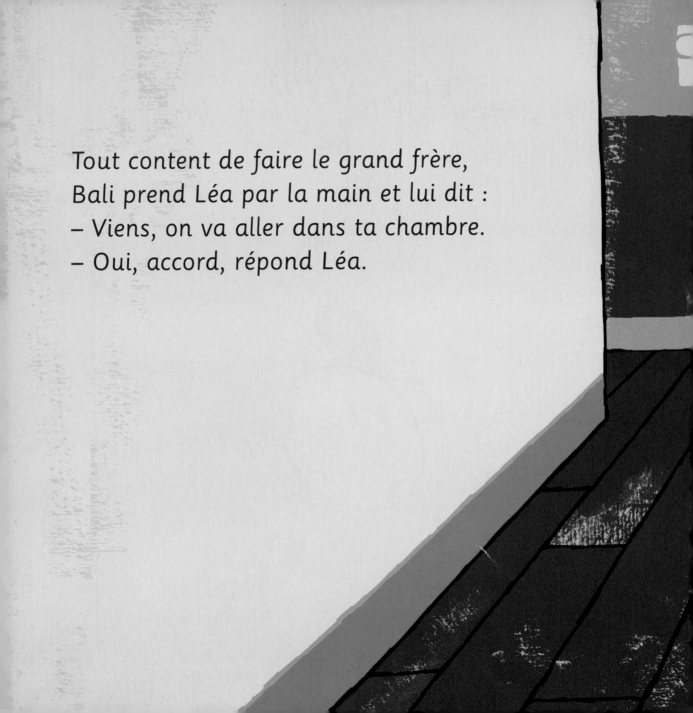

Tout content de faire le grand frère,
Bali prend Léa par la main et lui dit :
– Viens, on va aller dans ta chambre.
– Oui, accord, répond Léa.

Bali veut aider Léa à s'habiller.
Il lui choisit de beaux habits.
– Tu vas être toute jolie, lui dit-il.

Mais Léa ne veut pas mettre
ces vêtements-là. Elle dit :
– Non, non, pas ça.

Léa prend sa robe rose.
– Veux ça, moi !

Bali a du mal à lui boutonner, car Léa
s'amuse à gigoter pour l'embêter.
– Sois sage, j'ai presque fini. Après,
on jouera tous les deux ! dit Bali.

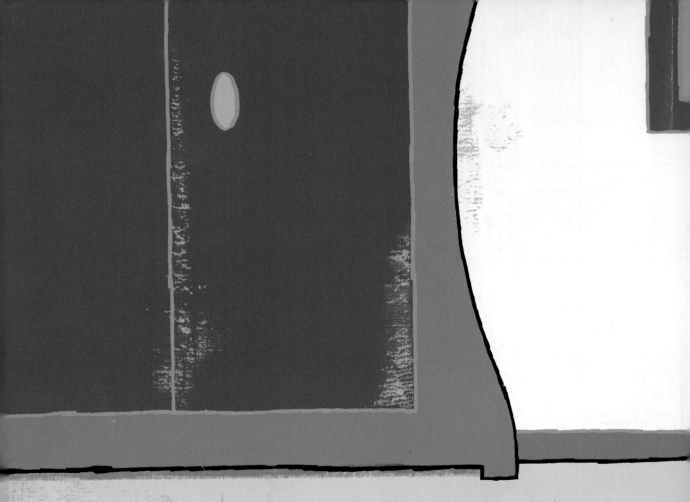

Maintenant que Léa est prête, Bali lui demande :
– Alors, tu veux jouer à quoi ?

Léa montre les cubes en bois.
Bali l'aide à faire une tour
très très haute.

Quand Bali a terminé la tour,
Léa fait tout dégringoler.
– Oh ! il faut recommencer, dit Bali.

Mais Léa est déjà partie.
– Attends, tu dois m'aider à ranger !
appelle Bali mécontent.

Après avoir rangé les cubes, Bali retrouve Léa dans sa chambre. Elle a déjà déballé plein de jouets et elle est en train de vider la caisse de petites voitures.

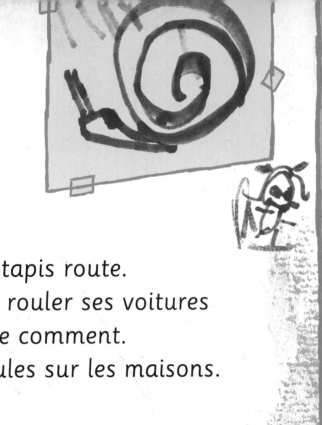

Bali joue avec Léa sur le tapis route.
Bali s'énerve car Léa fait rouler ses voitures
n'importe où et n'importe comment.
– Non, Léa, pas là, tu roules sur les maisons.

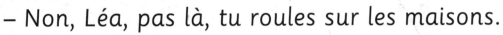

Léa n'a plus envie de jouer aux voitures.
Elle appelle :
– Maman, Maman !

Maman a fini. Elle arrive.
– Merci mon Bali, tu as été très gentil
de t'occuper de ta petite sœur ce matin,
ça nous a bien aidés.

Bali est découragé de voir sa chambre en désordre.
– Regarde, Papa, le bazar qu'a mis Léa.
Je suis trop fatigué pour ranger.
– Mon Bali, on va ranger tous ensemble,
dit Papa en ramassant les petites voitures.